영혼의 단편들은

영원한 장편을 그리워한다

영혼의 단편들은
영원한 장편을 그리워한다

지은이 이상현

발 행 | 2024년 01월 22일
저 자 | 이상현
펴낸이 | 한건희
펴낸곳 | 주식회사 부크크
출판사등록 | 2014.07.15.(제2014-16호)
주 소 | 서울특별시 금천구 가산디지털1로 119 SK트윈타워 A동 305호
전 화 | 1670-8316
이메일 | info@bookk.co.kr

ISBN | 979-11-410-6693-2

www.bookk.co.kr

영혼의 단편들은 영원한 장편을 그리워한다

이상현 지음

BOOKK

시를 갈무리하며...

글로서 감정을 전달하기가 여간 어려운 일이 아니었다. 단어의 의미, 문장의 느낌, 단락의 철학, 하나하나가 글씨와 마음의 조화를 이룰 수 있게 나를 써내려 갔다. 나만 이해하고 전달이 안되면 어쩌나, 사람들은 다르게 해석하면 어쩌나, 하는 걱정반, 기대반 속에 하나씩 시를 탄생시키며, 다양한 해석이 나올수 있음에 가능성을 열어두고, 다른 관점과 시각 또한 그것도 하나의 의미를 가지리라 생각하고 받아들이기로 했다.

한편의 시가 누군가에게 마음의 공감, 소통, 평온, 행복 등을 줄 수 있다면, 그래서 당신에게 희망이 될 수 있다면, 당신이 살아가는데 단 한순간만이라도 도움이 될 수 있다면, 난 그걸로 행복할 것이다.

그리고 많이 부족한 나란 존재를, 시를 쓰게 만들어준 당신에게 난 항상 감사할 것이다.

2024. 01. 01

CONTENT

1부. 일상이 나에게 노크하는 순간

2부. 신념이 마음속에서 춤을 추는 시간

3부. 영과 혼이 주위를 감싸는 공간

1부.

일상이 나에게 노크하는 순간

<산아일체>

산을 오른다
그리고 나를 오른다
나 자신을, 장애물을, 목표물을 오른다

지금은 비록 바닥을 보며 땀방울을 떨구지만
내 앞에는 하늘을 바라보듯 높은 뜻이
정상에서 기다리리라

정상에서 아래를 바라보며
세상을 품을 수 있는 광대함으로
세상을 정화시키는 그림을 그리리라

마지막 발자국을 정상에 딛는 순간
마침내 녹색빛과 푸른빛이 나를 반겨주리라
세상의 무채색 고뇌를 파람과 푸르름으로 정화해주리라
그리고 나를 반기는 넓은 산의 품에 안겨 위로를 받으리라

내가 산이 된 후에는 어느덧 어둠이 물러가고
희망의 산새소리가 널리 퍼지고 또 한번 산이 나를 품어주었다
그렇게 오늘도 난 산을 느낀다

<"목적에 이끌려진 삶, 그러나 신념이 먼저, 반전은 사명" 수록본>

〈바다 그리기〉

파랑색 물결이 머릿속에 흐른다
그 장엄함은 때론 위험하지만 때론 시원함이다
잔잔함과 거침이 공존하며 물결은 바위 위로 사라진다
눈에 담기에도 벅차지만, 종이 속 드넓은 배경으로 담아낸다

사람들의 모습들이 눈앞에 환생한다
경치를 감상하고, 낚시대를 던지고, 사진을 찍고
제마다의 사연을 바다와 함께 기억 속 공간에 담아둔다
사연을 모두 담아주는 배경 위에, 종이 위 역할 있는 주인공들이 살아간다

대자연의 선물들이 귓가에 새겨진다
과자먹는 갈매기들이 하늘 높이 울며 날아가고
바다를 닮은 소리들은 대자연이 살아있음을 알려주며
해풍소리는 종이 속 주체들에게 움직임과 방향성을 부여한다

머릿속 기억들은 한 편의 그림이 되고
마음속 추억들은 한 편의 시로 태어나며
경험의 조각들은 하나의 나로 만들어져서
영혼의 단편들은 영원한 장편을 그리워한다

<낚시>

다시 마음이 들뜨게 해주는 심장의 역동적인 설레임

내 마음속 폭풍을 잠재우는 수면의 부드러운 잔잔함

물속처럼 깊이 생각에 잠길 수 있게 해주는 깊은 고요함

무언가를 기다리는 대자연속의 오래된 인내심

물속 생물과의 대화를 이룩게 하는 과학적인 공감

물속 생명체와의 진검승부에서 펼쳐지는 물리적인 에너지 소비와 쾌감

노력을 보상해주는 생물학적인 존재와의 만남

다음을 기약하며 또 희망을 꿈꿀 수 있게 해주는 철수, go home

<"목적에 이끌려진 삶, 그러나 신념이 먼저, 반전은 사명" 수록본>

〈색소폰〉

철없는 젊은이의 화려한 도전이 시작됐다

그러나 겉멋에 빠진 흉내내기 원숭이가 되었다

관심은 멀어지고 또다시 삶의 투쟁과 타협을 한다

마음을 잡은 청년의 도전이 또 달려간다

그리고 가슴으로 소리를 내본다

그러나 상처 입은 가슴은 소리의 발목을 잡는다

중년의 무르익은 도전이 다시 출발한다

인생의 짙은 향기와 마음이 타인의 마음에게 전달되도록

깊고 아픈 삶의 노래를 가슴으로 만들어 내본다

노년의 관록과 삶의 지혜가 담긴 도전도 계속될 것이다

그 때는 누군가와 함께 소리로 대화를 하겠지

그 때는 소리가 누군가와 나를 소통시켜주겠지

그 때에는 악기와 음악이 나의 길을 풍요롭고 풍성하게 해주겠지

〈"목적에 이끌려진 삶, 그러나 신념이 먼저, 반전은 사명" 수록분〉

〈더치페이〉

술과 함께
안주와 함께

미인과 함께
미남과 함께

나와 함께
너와 함께

대화를 함께
건배를 함께

결제는 모두 다함께

〈담배〉

두 손가락에 끼워
고독을 장전한다

두 입술에 물고
고뇌를 뱉어낸다

두 개의 도너츠로
배고픔을 달래본다

두 번 다시 실패는 없으리라
마음속으로 다짐해본다

〈"목적에 이끌려진 삶, 그러나 신념이 먼저, 반전은 사명" 수록본〉

〈금연〉

생각난다

보고 싶다

그립다

그렇게 너를 떠나보내기가 어렵다

너의 앞에서 서성이며 참아본다

슈퍼 아줌마가 쳐다본다

정말 잊고 싶다

1년 후

이젠 익숙하다

덤덤하다

너 생각을 거의 안 한다

너는 누구냐?

나는 너를 만난 적이 없다.

그런데 술 마시면 너는 나를 찾는구나

그리고 나도 그녀를 찾는구나

〈"목적에 이끌려진 삶, 그러나 신념이 먼저, 반전은 사명" 수록본〉

⟨돈 관리⟩

내가 할 거야
내가 주는 대로, 내가 쓰라는 대로 써야 돼
나는 가장이니까

너만 할 줄 아냐, 나도 할 줄 안다
이젠 내가 할 거야
여성인권이 얼마나 무서운 줄 알아?

흥, 왜 서로 하려고 난리들이야
각자하면 안 피곤하잖아
요즘세대는 따로따로 하는 거야

우리 이번 달은 적자야
그래? 그럼 우리 조금 아껴 쓰자
우리 이번 달은 흑자야
그래? 그럼 자기 사고 싶은 거 있으면 사
같이 할 수 있어서 좋다

<아파트>

평안과 안식의 꿈이 높이 세워지길

내면의 선한 나의 마음을 서랍 속에 담아주길

은행 빚으로 행복을 잠시 빌렸지만, 계속 행복을 이어갈 수 있길

지친 몸을 이끌고 온 저녁 나의 몸과 맘을 위로해주길

과거의 상처와 아픈 기억이 넓은 공원에 흩어지길

함께하는 이와 이곳에서 더욱 많이 사랑할 수 있길

그리고 더욱 많이 감사하고 기도하길

<"목적에 이끌려진 삶, 그러나 신념이 먼저, 반전은 사명" 수록본>

〈다이어트의 추억〉

날렵했던 기억들
가벼웠던 나날들
생각만으로 즐거운 순간들

안 맞던 옷이 몸에 맞던 그 날, 새 옷 산 기분을 느끼던 그 날
안 먹어도 살 수 있을 것 같은 기분이 들던 그 날

현실의 땀과 눈물 섞인 노력으로 거래를 할 테니
그날의 나를 다시 찾을 수 있기를

〈"목적에 이끌려진 삶, 그러나 신념이 먼저, 반전은 사명" 수록본〉

<설레임>

오랜 기다림의 끝에서
심장이 뛴다

두려움 따위는 잊혀질 정도로
강하게 심장이 뛴다

호기심과 떨림이 교차하며
그렇게 심장이 뛴다

나를 다시 가슴 뛰게 해준 신선한 충격
점점 더 빠르게 심장이 뛴다

가슴이 두근거리는 것이 기쁠 정도로
외로움의 끝에서 나의 심장이 뛴다

가슴이 벅차올라 이제는 터질 것 같다
그래도 아직 심장은 뛴다

희망을 놓지 않기 위해, 사랑을 떠나보내지 않기 위해
두 발도 함께 뛴다

그녀를 보면 심장이 뛴다

<"목적에 이끌려진 삶, 그러나 신념이 먼저, 반전은 사명" 수록본>

〈두려움〉

무슨 일이든 극복해냈다

어떤 시련이 와도 견뎌냈다

많은 아픔과 통증을 이겨냈다

그곳

그곳은 나를 두렵게 한다

그곳에 가면 나는 늘 긴장한다

어른들이 아이가 되어 어리광한다

날카로운 바늘과 나의 신경이 기싸움을 한다

쇠침이 잇몸 속의 썩어있는 검은 괴물들과 싸운다

잇몸 위로 새치아가 이사 와서 주위의 치아들과 자리싸움한다

카드가 십만, 백만 단위로 긁히고 머릿속은 아내와 싸울 상상을 한다

〈똥시〉

너무 길어 두 줄이 된 쌍절곤

너무 굵어 구멍에 꽉 찬 몽둥이

너무 조준이 잘되어 구멍 속으로 쏙 들어간 장어 한 마리

너무 많아 미끄럼틀을 타지 않고 병목현상이 일어난 그것들

너무 겉과 속이 달라 고체로 태어났지만 물속에서 녹아버리는 그것들

오늘 밤엔 내 꿈속에 찾아와 가정경제에 도움이 되길

<애칭>

나는 닭을 좋아한다
치킨을
닭갈비를
닭볶음탕을
삼계탕을

어느 날 아내가 나를 부른다
처음엔 꼬꼬야
나중엔 꼬오야
그리고 꼬꺼야

별명이 업데이트 되었다
꼬오야, 꼬오꼬오야, 왕꼬오야
꼬꺼야, 꼬꺼꼬꺼야, 왕꼬꺼야

내가 닭이냐고!

〈공감〉

힘들면 아무것도 하지 말자
고요함이 우리의 풍파를 잠재울 테니

힘들면 아무 말도 하지 말자
숨소리가 우리 마음을 대신해 줄 테니

힘들면 아무 생각도 하지 말자
영혼이 우릴 이어줄 테니

힘들면 그저 눈물만 흘리자
눈물이 마음을 치유할 테니

힘들면 그냥 서로만 바라보자
서로의 얼굴 속에서 가슴이 추억을 기억할 테니

〈핸드폰을 놓고〉

기계가 주는 즐거움을 잠시 놓고
사람이 주는 소통감을 느껴본다

습관된 손과 고착된 초점은 화면을 찾지만
내 마음속 깊은 심장은 네 마음속 어플을 찾는다

네 마음속에서 함께 놀고
네 손과 내 손이 함께 춤을 추며
네 머릿속에서 함께 계획을 짜고
내가 잃어버린 나를 네가 찾아준다

음악보다 더 감미로운 정서를
영상보다 더 역동적인 웃음을
게임보다 더 활력 넘치는 사랑을
사진보다 더 현실적인 내 앞에 너를
기계의 심장 대신 인간적인 심장박동수를

〈김장〉

빨간 손

붉은 소스

발그레한 매트

빨갛게 물든 바닥

새빨개진 네 얼굴은

시뻘건 사진들 속에서

올해 겨울 매콤행복하겠네

〈동화〉

너에게 화를 내지만, 거울이 화를 낸다
너의 탓을 하지만, 거울이 자책한다

너에게서 나를 들으며, 다른 것이 없음을
나에게서 너를 만나며, 같은 것의 존재를

나의 잘못도 거울에 흘러간다
나를 사랑하지 못했음을
너를 이해하지 못했음을

그렇게 흘러가다 서로의 마음속을 또다시 흐른다
미완성 안에 완성된 사랑도 함께 흐른다

너와 나는 함께 흐른다

〈불면증〉

양 한마리, 양 두마리, 양 세마리

술 한잔, 술 두잔, 술 세잔

이젠 잠이 오겠지

약 한알, 두알, 세알

새벽 한시, 두시, 세시

생각 한묶음, 두묶음, 세묶음

잠은 안 오지만 몸이라도 자야겠다

〈감정기복〉

기뻐만 할 순 없잖아
절망만 할 수도 없잖아

일관성의 삶을 유지할 순 없어도
다양성은 삶에 답을 줄 수도 있어

싫은 것도 나일 테고
좋은 것도 나일 테지

오늘은 슬프고 울지만
내일은 슬프고 웃을거야

⟨ENFP⟩

밖으로 나돌아도
관찰할 수 있어서 만족했다

현실이 지옥이라도
미래를 바라보며 꿈을 설계했다

복잡하고 머리 아픈 세상이라도
머리보다 가슴이 먼저 움직여서 편안했다

무질서하고 예측불가능한 상황이라도
융통성있고 자유롭게 살 수 있는 길을 택했다

슬퍼서, 좌절해서, 무너져서 쓰러져도
몇 일 후에 웃어지는 나의 회복력에 감사했다

너무 힘들어 죽고 싶을 때, 죽으려고 할 때,
그렇게 나라는 특성이 날 살려주어 행복했다

<고마운 버스>

버스가 데려다준다
즐거운 우리의 목적지를

버스가 만나준다
설레인 카페의 데이트를

버스가 날려준다
화난 창밖의 스트레스를

버스가 멈춰준다
급한 모두의 휴게소를

버스가 뽑어준다
뒤집힌 우리의 멀미를

버스가 살아준다
평범한 나의 일상을

<크루즈>

나는 파랗게 추억한다
파란 물결이 하얗게 갈라진다
하얀 배가 회색빛으로 물든다
회색 갈매기가 노랗게 달려온다
노란 과자를 붉은 하늘에 던진다
붉은 해는 검게 번진다
검은 밤에 무지개빛이 터진다
무지개색 불꽃들이 노래를 부른다

노래는 마음에 스며들고
와인은 입술에 적셔들고
바람은 가슴에 파고들고
떨림은 심장에 물들고
나는 너에게 녹아든다

〈부조화〉

모두의
능력이 최고를 달린다
지식이 하늘을 찌른다
손끝이 *A4*를 자른다
시간이 칼처럼 흐른다
눈빛이 공기를 가른다

우리의
공감은 공허함만 남았고
마음은 폐허만 남았고
가슴은 사막만 남았고
심장은 조각만 남았고
설렘은 요지부동만 남았다

최고는 욕심과 욕망만 허용할 뿐
사랑이 설 자리를 허용하지 않았다

〈경.취〉

바탕화면 속 배경이 다가온다
내 눈보다 더 빨리 가슴에 녹아든다

가슴속에 스며든 장면은
머리와 정신을 깨우고
하루와 일상을 깨우고
잠든 희망도 깨워준다

가슴은 한없이 그곳에 취해본다
그 곳에 가고 싶어서
그 곳에 살고 싶어서
그 곳에 물들고 싶어서

〈자유〉

당신이 만약 내게 온다면
40년의 사슬은 환희의 열쇠

독수리의 꿈은 높이 날아오르고
당신과 함께 하늘을 만들리라

사자의 권위가 멀리 울려퍼지고
당신과 함께 대지를 달리리라

거룩한 빛은 지구를 푸르게 물들이고
나의 빛은 뜨거운 심장의 전원을 켜리라

따뜻한 빛이 세상을 어루만질 수 있게
이제 그만 나에게 오라

2부.

신념이 마음속에서 춤을 추는 시간

⟨ I am poem⟩

시상과 글이 꿈을 품고 잠에서 깨어난다
아직 정리가 안 된 개념들, 단어들

단어가 표현을 만나 한줄기 행이 된다
꾸며지는 단어들, 날개 달린 문장들

문장이 의미를 만나 철학이 물든 연이 된다
공감이 있는 문장들, 줄지어 선 문단들

문단이 시공간의 차이를 만나 영혼이 스며든 시가 된다
신념을 지닌 문단들, 오감을 내뿜는 감각들, 내가 원하는 나 자신을

나는 너를 만나 순수함이 물든 영원한 장르가 된다
너의 아름다운 시간과 공간에 함께 잠들며
나는 이렇게 시가 된다

<비전 설정>

꿈들이 떠다닌다
가공되지 않은 단순한 바램들
나를 미소 짓게 하는 미래에 대한 그림들

이상을 스케치한다
모두에게 도움이 된다고 생각되는 의미들
좋지 않은 상황을 벗어나려는 해답들
모두가 행복한 세상을

열정이 춤을 춘다
뜨겁게 바라보는 것
어느 순간 가슴이 뛰는 것
나도 모르게 가슴이 먼저 움직이는 것
불필요한 습관과 나쁜 것도 태워서 에너지로 만드는 것
열정이란 이름의 바로 그것

전문성이 출발한다
세상의 욕구를 파악하고
꿈을 가공하고
이상을 모방하고
열정을 태우고
욕구에 쓸모 있게 만들면, 내면의 상태와 능력이 되고

질문은 남아있다

세상의 깊이를 파고들어 진의를 깨닫자

비판정신을 깨워 "왜 그럴까?" 라고 질문하자

그 후 "그러면 어떻게 하면 좋을까?"라고 생각하자

신념이 눈을 뜬다

눈에 보이진 않지만 마음에 느껴지는 확신을 눈앞에

신념이 없을 때, 다시 꿈을 꾼다. 늦은 꿈이란 없음에

죽어도 다 이룰 수 없는 지향점이 세워짐에

죽을 때까지 할 수 있는 것을 신념으로 새김에

내면에 숨겨져 있던 신념이 자연스레 외부 에너지로 나타남에

목적과 목표가 살아난다

비교적 장기적인 기간 동안의 계획이 생겨나고

목적 달성을 위한 비교적 단기적인 목표들이 생겨나고

신념이 있다면 목적과 목표는 자동으로 나타나고

신념이 전제된 목적이 있음에 나는 살아나고

이런 나의 보이지 않았던 신념을 이젠 바라본다

<나를 메모>

나의 삶과 일상을
나의 느낌을
나의 계획을

갑자기 떠오르는 생각도
타인의 좋은 행동도
타인과의 관계 약속, 일정도

외부의 정보를
좋은 말, 좋은 글들을
시사, 메스미디어, 국내, 세계의 흐름을

핸드폰이든
종이에든
어디에든
무엇이든

잘 쓰는 사람이건
못 쓰는 사람이건
형식에 맞건, 안 맞건

기록이 모여 문장이 되고

때론 문제의 답이 되고

지식과 정보가 되고

삶의 방향이 되고

지침서가 되고

일기가 되고

책이 되고

언젠가 나의 혼이 실릴 때까지

나 자신을 알 수 있을 때까지

<너의 옆에서...>

당신은 왜 돈만 쫓아가는가

당신은 왜 다수만 따라가는가

당신은 왜 자신을 감추는가

당신은 왜 나와 당신을 나누는가

당신은 왜 잃어버린 꿈을 다시 찾지 않으려고 하는가

당신은 왜 돌아올 수 없는 그 강을 건너려하는가

당신은 왜 그리 누군가를 미워하는가

도대체 왜 옆에 있는 나를 못 보는가

내가 항상 곁에 있는데

<너를 위한 정의>

내가 싸우는 이유는
웃음을 되찾아 주기 위해서이다
불의를 보고 웃을 순 없지 않은가

당신이 한번만 제대로 웃을 수 있다면
당신만의 웃음을 되찾아 줄 수 있다면
당신의 진짜 웃음을 볼 수 있다면

난 오늘도 싸운다

<완벽주의>

더 확실해야 해
더 열심히 해야 해
더 인정받아야 해
더 좋은 결과를 얻어야 해
더 많은 것을 알아야 해
더 빨리, 더 많이, 더 높이, 보다 더 뛰어나야 해

나는 나의 가슴에게 물었다.
'그런데 지금 많은 것을 얻은 후 나의 마음은 정말 편안하니?'

나의 마음이 대답한다.
울고 있는 내 자신을 보라고
지쳐 있는 내 자신을 보라고
겉으로 모든 것이 좋게 보일 지언정
나의 내면은 더 혼란해 하고 있는 나를 보라고

다시 마음을 헤아리고 성찰과 통찰에 빠져본다.
굳이 열심을 넘어서서 나를 벼랑으로 몰고 가진 말자
이미 난 열심히 살아왔으니까

굳이 더 좋은 결과를 얻으려 애쓰지 말자
결과보다 과정을 통해 더 많은 것을 배웠으니까

<목적에 이끌려진 삶, 그러나 신념이 먼저, 반전은 사명 수록본>

- 46 -

<악순환>

전쟁 이후 깊은 적막함과 슬픈 고요함

세월속에 뿌리내린 허무함과 오래된 허탈함

목적을 잃어버린 상실감과 현실속의 무의미함

마음속 갈등의 요동침과 분위기 속 무거운 침묵감

욕심을 품은 존재감과 존재를 대적하는 세력의 대립감

다시 칼을 가는 손끝의 날카로움과 서서히 눈을 뜨는 적개감

전쟁의 북소리를 기다리는 청각속 예민함과 근육의 팽팽한 긴장감

이성의 안전장치를 제거한 비통제된 파괴감과 빨갛게 춤추는 분노감

평화를 잃어버린 매서운 눈빛의 이질감과 자비 없는 맹수의 살생적 본능감

다시 전쟁 이후

〈절망의 순간〉

원망의 씨가 하늘에 날리고
탄식의 거름이 땅에 뿌려져서
원한의 줄기가 하늘높이 자라나
분노의 열매가 솟구쳐 곳곳에 흩어진다

새파랗던 기억은 깨져버렸고
희미해진 입술이 너를 불렀지만
무거워진 손가락은 날개가 없으며
아프게 짙어진 눈빛이 고뇌를 부른다
슬프도록 무의미한 심장도 동력을 잃었고
재기의 눈물이 고장나 희망의 샘이 나오지 않는다
제발, 마지막, 딱 한번만이라는 바램들도 화석이 되었고
악으로, 깡으로, 독기로라는 객기들도 연료가 고갈돼 버렸다

무엇을 할 수 있나
여기서 어떻게 해야 하나
의지는 무엇을 하라고 하는가
난 아무 말도, 그 무엇도 할 수 없어
그저 두 손 모아 영혼속의 신을 찾는다

〈이기주의에 작별을〉

자기의 것을 만들어 남과 교류하자
자기는 줄 것이 없고, 남의 것만 받으려하면
한쪽의 에너지만 낭비되지 않겠는가

내 것이 없다고 남의 것을 뺏으려 하지 말자
남의 것을 쉽게 얻어도, 채울 수 없는 결핍된 욕구일 뿐
빼앗은 지식과 강요된 배려는 머릿속이 내 것으로 인정하지 않는다

나만 힘들다고 외로워하지도 말자
모든 사람이 힘들고 외롭고 어려워도 꿋꿋이 서있지 아니한가
그저 묵묵히 버티며 영혼을 지키려함을 느껴보자

나의 잘못을 부정하고 외면하지 말자
나 자신을 속인다고 일어난 일이 사라지진 않는다
언젠가 내가 속인 나 자신과, 외면한 나의 그림자는
거울 속에 비춰져서 더 크게 나를 바라볼 날을 왜 모르는가

인생을 리부팅하듯, 마음을 정결히 하며 살자
남에게 모델이 되고
내 가슴의 모범이 되고
나 자신을 모티브 하다보면
가진 것이 없어도 마음의 공유를 이룰 수 있지 않겠는가

<노력은 공평하다>

남에게 강요해서 일을 시켜봤자

남에게 억지로 일을 시켜봤자

남을 압박하여 일을 시켜봤자

남을 이용해서 일을 시켜봤자

남을 내 맘대로 움직이려고 해봤자

결과물은 본인이 얻을 수 있을지언정

스키마와 노하우는 일하는 사람에게 쌓인다

다시 하려면 자신은 못하니, 또 누군가를 시켜야한다

빼앗은 노력은 마음속이 내 것으로 인정하지 않는다

내가 그 지식을

알고

체화하고

공감하고

사랑하고

지켜내고

누군가를 위한

선한 목적으로 실행하면

과정과 결과 두 마리를 얻으리

<자기愛>

나를 사랑하자

내가 못해본 것을, 안 해본 것을 해보자

돈이 있으면 있는 대로, 없으면 없는 대로

남도 사랑하자

나만 사랑하면 남을 사랑하지 않는 사람과 무엇이 다르랴

그러나 남을 너무 많이 사랑하지는 말자

필요 이상의 기대와 배려는 오히려 서로에게 독이 되니까

미움과 다툼이 싫다면 그 반대인 사랑을 해보자.

나에겐 그런 세상을 꿈꾸며 그렇게 사는 것이 훨씬 쉬우니까

미리 고통과 시련을 겪으며 경험을 쌓자.

어차피 행복 다음에 고통과 시련이 올 거라면

<목적에 이끌려진 삶, 그러나 신념이 먼저, 반전은 사명 수록본>

〈정직함과 솔직함〉

정직하지만 합리적이며

정직하지만 당당하며

솔직하지만 공과 사를 구분하는 사람

솔직하지만 적시적소에 맞게 행동하는 사람

정직하고 솔직하게 자신을 오픈할 줄 아는 사람

그 자체가 거짓 없음과 타락하지 않음에 순수라는 능력과 무기를 얻으리

〈목적에 이끌려진 삶, 그러나 신념이 먼저, 반전은 사명 수록본〉

〈회복〉

사실을 인정하기 싫다고 부정하지말자
인정함을 통해서 변화가 시작되는 것을 알고 있다면

미련과 억울함을 버리고 끝없이 내려놓자
나쁜 것들이 내 마음에 자리 잡게 하기 싫다면

잃어버린 나에게 올바른 나를 다시 찾아주자
그동안 나를 돌보지 않았던 것에 미안함을 느낀다면

그때 나는 너무 어리고 몰랐으니, 나를 더 이상 질책하지 말자
진정 나를 아낀다면

나만 사랑하는 이기주의는 남에게 피해를 주니 멀리하자
나를 사랑하는 개인주의로서 남을 공감하자, 세상을 사랑한다면

나의 영혼은
솔직한 인정과
치유된 심장과
냉철한 지식과
아끼는 마음과
뜨거운 사랑과
신이 주신 재능으로
다시 리부팅 되리라

<승화>

사랑받지 못했어도 사랑하자

내가 언젠가 사랑받는 그날이 오면

올바른 사랑을 주려고 했던 날들이

생명의 씨앗이 되었음을 알리라

그리고 뜨겁게 사랑하고 사랑하며

그렇게 또 사랑하리라

<낙조, 부제 : 이직을 하며>

나는 해에게 말한다
내일도 보자고
빛을 내보자고
아래를 보지 말고
하늘을 보자고
그리고 앞을 보자고

해는 나에게 얘기한다
하루를 열심히 빛을 냈음을
가끔 흐린 날은 쉬기도 했음을
사람들이 나를 보며 희망을 품었음을
그래서 실망하지 말라고

나는 과거의 나에게 말한다
나는 또 회상하겠지
보내려고 하겠지
지우려고 하겠지
이별을 말하겠지

발걸음을 돌리며 다시 해에게 말한다
그래도 추억할 수 있어서
배울 수 있어서
다시 웃을 수 있어서
다시 빛을 낼 수 있어서
또 다시 만날 수 있어서
희망을 품을 수 있어서
감사할 수 있어서
고맙다고...

<목적에 이끌려진 삶, 그러나 신념이 먼저, 반전은 사명' 수록본>

<그날을 기다리며...>

굳어버린 가슴은 햇살을 피해 달아나고
차가워진 더위은 얼음위에 스며들며
떨어지는 낙엽으로 쓸쓸함을 쓸어내고
희망의 새싹으로 차가운 눈을 밀어낸다

사계절 인고의 아픔을 견뎌내고
다시 꽃피울 열정은 시간 속에 자라나며
파란 행복의 하늘을 공간속에 계획하고
다시 올 뜨겁고 열렬한 햇살을 기다린다

무뎌진 내 마음에 다시 뜨겁게 살아날 너를 그리워한다

〈합주〉

피아노와 기타의 선율이 흘러가고
드럼과 베이스의 울림이 새겨질 때
목소리와 색소폰이 짙게 물든다

향기로운 여섯 개의 마음들이 한자리에 모여
소리가 시간을 채우고, 화음이 공간을 채우면
조화로움과 완성도를 향한 땀방울이 채워진다

소리로 슬픔을 묻어버릴 수 있어서
소리로 공감을 만질 수 있어서
소리로 대화에 동화될 수 있어서
그저 소리가 좋다

만들어진 화음은 귀를 타고 흐르고
다듬어진 연주는 마음의 메마름을 적시며
뜨거워진 시너지가 시공간의 전율 속에 춤출 때
새로워진 우리는 우리의 가슴을 스스로 깨운다

무한한 꿈을 가진 하루라는 시간 안에
낭만과 공감과 감동이 눈에서 역류하고
그리도 바라고 꿈만 꾸던 환상들이
내 앞에 펼쳐진 현실 속에 울려 퍼져
행복이 메아리친다

<실종>

너를 되찾아주고 싶어서
종이에 마음을 써서 벽에 붙인다

잃어버린 너를 찾을 수 있게
상해버린 마음이 치유될 수 있게
길을 모를 땐 누군가에게 질문할 수 있게
굳어버린 습관이 유연함으로 풀려 노하우가 될 수 있게
착한 마음이 올바르고 강한 신념을 만나서 강한 선이 될 수 있게
불안함이 너를 누를 때, 자신을 찾는 노력의 정신으로 이겨낼 수 있게

너를 진심으로 응원하는 내가 옆에 있다는 것을 알아주길

〈용서〉

너의 목적 잃은 쓴말에 내 마음이 찢어졌었다

너의 철없고 얇은 속임수에 내 신념이 무너졌었다

너의 기나긴 아픔을 내가 그대로 받아들여 나도 아팠었다

너의 안갯속 무지를 따르고 도와주었던 내 머리가 너무 아팠었다

너의 두려운 욕심과 차가운 이기심에 내 영혼이 슬퍼했고 좌절했었다

내가 겪어보니 알겠더라

너의 마음이 얼마나 아팠고

아무도 도와주지 않아 너무 슬펐고

누군가 잘못을 떠넘겨서 너무나 억울했고

그때엔 너무 어리고 몰라서 어쩔 수 없었다는 것을

답을 몰라서, 남에게 답을 찾아달라는 너의 처절한 비명소리를

이젠 내가 그것을 이겨내어 희망을 증명하였으니

너도 나처럼 이겨내어 누군가에게 빛이 되어주길

<잘난 척>

나의 온 맘을 다해
나의 모든 능력을 다해
당신에게, 이 상황에 도움이 되려고 합니다

잘하는 것이
열심히 하는 것이
퀄리티가 좋은 것이
결과물이 좋은 것이
하나 되기 위함과 성장함으로 귀결되길 바랍니다

미움보다는 감동으로 다가가길
무기력보다는 활력으로 일어나길
피로함 보다는 즐거움으로 뿌듯하길
부조화, 불협화음 보다는 조화로움으로 편안하길
나의 일이 모든 행사를 주관하시는 그분 안에서 평안하길

진심으로 바래봅니다

<수녀>

하얀 순결함으로

회색빛 낮음으로

넓은 하늘의 배려로

깊은 바다의 사랑으로

즐거운 생명의 공감으로

뜨거운 열정의 관심으로

진실한 영혼의 두손으로

자신을 버리며 남을 돌보는군요

때론 자신을 돌보는 시간도 당신에게 허락되길

<압도와 승화>

당신을 도와주려 몸부림치다 다시 마음을 사는군요
어찌합니까, 마음은 있지만 자아의 욕구가 선을 넘어버리는걸

어제는 안됐지만 오늘은 돼네요
당신의 마음이 조금이나마 위로가 되길

당신을 진정 도와주기 위해, 오늘도 아픈 맘을 예술에 기대 버텨봅니다

당신의 마음에 사랑의 나무를 심을 수 있다면
당신의 마음이 사랑의 열매를 맺을 수 있다면
당신의 마음에서 사랑의 꽃을 피울 수 있다면

3부.

영과 혼이 주위를 감싸는 공간

〈안부〉

우리는 예전보다 더 먹을 것과 입을 것이 풍요롭지만
마음은 좀 더 맛있고 멋있는 것을 찾아가는 세상에 살아갑니다.

우리는 나에게 주어진 행복을 누리며 사는 대신
내가 못 가진 더 큰 행복만을 쫓으며 살고

내 자식들이 잘 커가는 것을 지켜보는 대신
내 주식들이 잘 성장하는지 매일 확인하고

내 꿈과 이상을 키우고 설계하고 간직하는 대신
내 보험과 통장계좌만을 설계하고 서랍 속에 간직하고

현재 사는 집을 꾸미고 가꾸며 품고 사는 대신
더 큰 집, 좋은 집만을 떠올리며 품고 살여

이 땅 위에 태어나 나의 사명을 다하기보다
이 땅값이 얼마나 올라 줄지만을 생각합니다.

안나면 가족들의 안부를 물어보기보다
새로운 금융정보의 출처를 먼저 물어보여

내가 가졌던 꿈과 이상을 모두 잃어버린 채
다시 돌아갈 방법도 잃어버린 채
오늘도 초심으로 돌아가자고 외치기만 합니다.

다시 올바른 영을 따라서 혼을 지켜내어
우리의 영과 혼이 다시 온전해지길 기도합니다

〈목적에 이끌려진 삶, 그러나 신념이 먼저, 반전은 사명' 수록본〉

〈지옥은 천국을 그리워한다〉

얼마나 지옥에서 살았는지
현재 아무 일이 없어도
몸과 마음은 계속 천국을 재촉한다

만약 진짜 천국에 가면 내 마음은 멈출까
가려고 하는 이유와 현재의 마음이 지옥이라면
천국은 나의 욕심이 만든 허상이 된다

그저 내 마음속 깊은 결핍이 만든 에너지는
나를 더 편하게 하기 위해 존재할 뿐
이성과 자아는 정도의 차이를 두지만
결국 이기주의로 둔갑된다

진짜 천국은
자기만을 위한 이기주의가 없는 모두가 행복한 이타주의의 세상
열등감과 우월감을 위한 경쟁이 없는 모두가 모두를 사랑하는 세상
자아를 버리고 내 머리대신 내가 의지할 수 있는 존재가 있는 세상
더 이상의 자아가 필요가 없어져 진짜 신을 섬기고 따르는 세상
그러나 믿음이라는 확신을 가지고 사명을 다하여 살아가는 세상
위험한 존재들과 평화롭게 지내고 영과 혼이 영원한 안식을 가진 세상

난 그곳을 그린다

⟨그 분1⟩

어둠이 나를 감싸고 빛이 안 보일 때
난 빛을 그리워하고 더더욱 갈망한다

세상을 밝게 밝혀주었던 빛
우리를 지켜주었던 빛
길을 안내해 주었던 빛

그 빛을 생각하여 난 희망을 한 개 밝힌다

자신을 태워 세상을 밝히려는 그 고요한 위대함
누군가를 깨달음으로 이끌어주는 그 찬란한 숭고함
아픈자를 위로해주여 다시 일으켜주는 그 따뜻한 강함
모두가 하나 되게 만들어 주는 그 역동적인 고결함

모두가 한 개씩 자신을 밝혀 다가올 거대한 등불을 맞이하길...

⟨목적에 이끌려진 삶, 그러나 신념이 언저, 반전은 사영 수록본⟩

〈당신은 진짜〉

당신은 진짜입니다

타인의 마음을 위로하는 냉철함 속의 따뜻함

타인의 가슴을 뻥 뚫어주는 답답함 속의 시원함

타인을 가장 옳고 빠른 길로 이끌어주는 강속강 속의 쾌속감

타인을 위해 함께 싸워주는 패배감 속의 통쾌함

타인에게 좋은 것을 주려고 하는 불신감 속의 믿음감

그리고 모든 결과는 모두 좋게 된다는 당신의 확신감

믿는 자에게 주어지는 그분의 평안감

나는 오늘도 승화되고 준비된 안정감

〈강한 사랑〉

뭐든지 할 수 있을 것 같은 사람
어떤 상황에서도 차분할 수 있는 사람
문제를 깊고 넓게 입체적으로 파악하는 사람
감정을 갈무리 하고, 감성적 이성으로 결과를 만드는 사람
세상을 위해, 누군가를 위해, 사랑을 위해 이음 하나 던질 수 있는 사람

그러나 진짜 강함은
나의 자아를 모두 부정하고
기꺼이 신을 따르고 진리를 따르는 사람

〈딜레마〉

이러지도 저러지도 못할 때
내가 누구인지도 뭘 하는지도 모를 때
생각이 행동을 멈추게 하고, 행동이 생각을 뿌리칠 때
정지된 시간과 폐쇄된 공간은 함께 뒤엉켜 끝없는 궤도를 달린다

너를 사랑하고 싶지만, 너는 너무 멀리 있음에
내 마음을 열고 싶지만, 내가 상처받을 것을 알기에
함께 같은 곳을 바라보고 싶지만, 다른 꿈을 꾸는 너이기에
난 너를 사랑할 수도, 미워할 수도 없어 고뇌와 사랑에 빠져버린다

하나의 고통은 하나의 소중한 힘이 되고
하나의 절망은 하나의 성스러운 지식이 되어
하나하나 쌓인 힘과 지식은 지혜속으로 이분된다
하나님이 주신 사영과 예수안에 있는 믿음을 내가 믿을 때
고뇌를 잠재우는 진리가 눈을 뜨고, 평안속에서 바라보여 웃는다
진퇴양난은 허상이요, 철없던 나의 작은 벽이고 강해지는 길이었음이라

〈외로움, 그리고 외로움의 끝〉

머릿속에 한 남자가 힘겹게 걸어왔다
그는 무엇을 잡으려고 하였지만
아무것도 잡지 못했다
그는 누구를 만나려고 하였지만
그저 스쳐지나갔다

가슴속에도 한 남자가 걸어간다
그는 속도를 줄이고 천천히 걷지만
그 무엇도 같은 속도로 가는 것이 없었다
그는 이제 걷지 않고 쉬려고 하지만
가슴은 계속 달리라고 재촉한다

영혼 속에도 한 남자가 걸어간다
그는 나에게 말한다
모든 것을 내게 맡기고 쉬라고

마침내 멈추고 나서 나는 깨닫는다
머리로 알고 가슴으로 느끼는 것보다
중요한 것은 그분을 따르는 것임을...

〈목적에 이끌려진 삶, 그러나 신념이 먼저, 반전은 사명 수록본〉

- 71 -

〈용서의 기도〉

상처를 무엇으로 덮을 수 있으면 좋겠습니다
상처를 무엇으로 가릴 수 있다면 좋겠습니다
말처럼 쉽게 상처를 안 받을 수 있다면 좋겠습니다

당신의 상처를 볼 때마다 나도 항상 아팠습니다
알면서도 전이되는 것을 참았습니다
보이면서도 안 보인다고 눈을 가렸습니다
느끼면서도 못 느낀다고 나를 속였습니다

이제 어느덧 상처는 나의 일부가 되어버렸지만
아무도 알아주지 않습니다
당신의 상처를 똑같이 받고 똑같이 느끼고
나에게서 당신이 보입니다
나에게서 내연화와 신체화가 나타납니다.

하지만 오늘도 하나님께 기도합니다
당신을, 나를 치유해달라고
당신을, 나를 온전케 해달라고

내가 버티는 만큼 당신도 버틸 수 있길
내가 이겨내는 노력만큼 당신도 이겨내길
내가 다시 사는 만큼 당신도 다시 살아나길
원래의 아름다운 당신으로 돌아오길 기도합니다
그러자 기도의 응답에서 용서라는 답이 나옵니다

그래서 난 오늘도
미움 받지만 용서하고
비난받지만 사랑하여
슬프지만 웃으여
아프지만 인내하여

당신을
나를
상처를 감쌉니다
그리고 용서합니다

사랑이라는 이름으로...

〈'목적에 이끌려진 삶, 그러나 신념이 먼저, 반전은 사명' 수록분〉

〈그 분2〉

그래 웃자
그들의 부정과 타락에
우지함과 우질서에
권력과 돈에
우너지는 양심들에
그저 해학과 풍자로 답하리오

하지만 돌이켜주고 싶다
다시 철회시키고
다시 치유하고
다시 회복하고
다시 성장하고
다시 하나되게 하고 싶다

그런데 나만
또 힘들겠지
또 좌절하겠지
또 후회하겠지
또 눈물 흘리겠지
또 그분을 찾겠지

그래도 그분과 함께라면

안족하며

함께하며

공감하며

사랑하며

평안을 느끼며

살아가겠네

〈'목적에 이끌려진 삶, 그러나 신념이 먼저, 반전은 사영' 수록본〉

⟨내려놓고 보니⟩

방향을 잃어버린 에너지가 침묵에 고립되고
열정이 식어버린 가슴이 깊은 허무함에 묻혀져서
꿈을 잃어버린 희망은 뜬구름이 되어 허공에 흐른다

내 머릿속 물리적인 욕심과 화려한 지식들이 빈 그릇이 되어도 좋다
내 마음속 자존감 높은 영예와 용기가 창조주에게 회수되어도 좋다

내 혼안에 자아와 존재가 고요함과 적막함속에서 죽을 때
내 영안에 본질적 사명만이 나에게 대답한다

구원을 받아 행복합니다

⟨결핍의 축복⟩

나에게 물질은 허락되지 않았다
더욱 열심히 일해야 했다

나에게 평화도 허락되지 않았다
싸워서 그것을 지켜야했다

나에게 사랑이 허락되지 않았다
많이 나를 사랑해야했다

나에게 마음 나눌 사람이 허락되지 않았다
더욱 외로워야했다

나에게 죽음도 허락되지 않았다
삶을 살아야했다

나에게 허락되지 않은 것들이
감사를 만나서 의식주가 해결되고
감사를 하며 정죄함은 없음을 배웠고
감사를 알고 나보다 힘든 사람을 사랑했고
감사와 함께 말씀을 나누며
감사하는 삶이 되었다

나의 모든 감사는
창조주에 대한 감사였다

⟨오직 단 하나의⟩

바보가 되지도 않게 하는
괴물이 되지도 않게 하는

비젼을 가지고 살게 하는
사명을 가지고 살게 하는

억압의 구속을 풀게 하는
희망의 자유를 누리게 하는

때론 나를 찾아주는
때론 나를 버리게 하는

나를 지켜주는
나를 이끌어주는

진리가 있음에
살아있음에
그 영원함에 감사하며...

〈오해〉

휘날리는 감정들이 불신을 부르는군요
사연과 이유가 있음을 알고나니
불신의 감정들이 사랑의 꽃잎으로 휘날리네요

당신에게
꽃잎 하나를 전하며
공감 하나를 건네여
이해 하나를 되새기며
씨앗 하나를 뿌려봅니다

아직 나도 푸르지 않음에
당신을 가득 안을 수 없음에
당신을 채워줄 수 없음에
내 자신의 여유가 없음에
더 큰 힘에 의지합니다

나를 더욱
큰 그릇이 되게 하시고
희망이 되게 하시고
낮아지게 하시고
나를 나타내지 않게 해달라고
기도해 봅니다

<영혼의 양식>

복음의 밥
진리를 먹는다
성경으로 살찌운다
성령으로 내안을 채운다

밥을 먹으여 웃음 하나
책을 읽으여 지식 하나
운동을 하여 활력 하나
너와 함께하여 공감 하나

일상은 아름다웠고
마음은 감사를 외치고
그분은 은혜를 선물하신다

그리고 행복의 시간에 감사한 것처럼
고난의 시간도 의미를 찾으여 감사하리라

〈고난의 시간〉

나를 버리고, 너를 키우고
내가 죽어도, 너는 살리여

한생명의 인내는 깨달음으로
한생명의 죽음은 또 다른 탄생으로

나의 시간은 사라져도
너의 시간은 지속되도록

영원한 생명안에 들어가도록
기회를 주고 싶다

그렇게 희망의 씨앗은 자라고
무성한 열매를 맺을 때

그 또한 감사이리라

〈성경책〉

네오의 지식은 진리의 요소

희로애락의 해결책

희생의 길잡이

사랑의 열정

정의의 글씨

영의 생영

신의 힘

지식을 입력하고

용기가 프로그램되어

지혜가 산출되어 나올 때

사랑은 마음으로, 공감은 서로에게로

감사로 귀결되는 순종과 영원한 양식을 주는 님이여

〈오든 것을 할 수 있으리라〉

순수함을 갈망하다, 처참히 부서져도
백지의 공허함에 그분의 능력을 채울 수 있으리라

능력은 우르익어 비전과 사영이 되연
불의와 싸우고 나를 지키는 빛을 보게 되리라

더 큰 불의는 완전우결한 신앞에 소열될 것이라
내가 싸우지 않고도 이기는 완벽한 전략이리라

자아가 죽고 내가 영에 속할 때
오든 세상의 심판은 그분께 속해있으리라
오든 계획은 그분이 하시고, 나를 낮아지게 함이라

〈그래서 신〉

내가 꿈틀, 너는 발길질
내가 야옹, 너는 우시
난 어흥, 넌 깨갱

약강강약의 인간심리
우지는 악이 되어버리고
관념의 오류도 악이 되어버리연
인간의 동물적 본성도 애초에 악일까

신은 왜 인간이 부조화를 이루게 만들었을까
인간은 불완전하니까, 그러니까 신을 믿으라는 걸까

〈방문〉

미소가 다가온다

밝은 소리가 부탁한다

현재의 고통이 소통된다

즐거움과 진실도 새겨진다

목적과 비전과 사명이 오고간다

가슴이 달려가고, 머리가 춤을 춘다

꿈이 스케치되고, 계획이 휘날리며, 희망이 출력된다

어느날 작지만 큰 은혜는 그렇게 찾아왔다

〈회복의 습격〉

행복이 기저에 깔린다
오랜 고통의 끝자락 전환점에서

큰 기적의 결과도
작고 소소한 희망의 안족으로

큰 성공의 높이도
지금 이곳의 설렘과 행복으로

큰 소유의 안족도
내게 주어진 대로의 마음으로

큰 미움과 미련도
나를 치유한 성령의 지킴으로

날 감싸는 기운은
빛의 가르침, 행복의 시작으로

이렇게 행복은 나를 공격한다

〈통합〉

멤돌았던 꿈들이 하나의 목적지로

떠돌았던 성격들이 일관된 다양함으로

굳어졌던 마음들이 너를 위한 나의 마음으로

채워졌던 애착들이 뜨거운 나눔과 비움의 충만함으로

어울렸던 고집들이 굳건한 비전과 올바른 사명의 신성함으로

흩어졌던 감정과 이성이, 객관화된 감정과 공감하는 이성의 조화로움으로

그것은 어쩌면

나의 무지를 알고

신의 전능함을 알고

신의 계획임을 믿는 것

〈비움에서 영으로〉

공백의 잠재력
여백의 조화력
순결한 백지의 혼으로

꽃의 성장감
따뜻한 탄생감
생영의 성령의 법으로

희생의 아이콘
사랑의 대명사
예수그리스도의 사랑으로

관대한 영
전능한 위대함
하나님의 마음으로